© naïve, 2005

9, rue Victor-Massé – 75009 Paris

ISBN : 2 35 021 005 7 – AS1519 – LL 014 – N° d'édition : 014

Dépôt légal : premier semestre 2005

Imprimé et relié par Tien Wah Press en Malaisie

Illustration de couverture : Marcelino Truong

Conception graphique et création du packaging :

Les Associés réunis, Paris

Musique composée et interprétée

par Éric-Emmanuel Schmitt

Direction artistique : Bruno Metzger

Enregistrement, montage, mixage, mastering : Studio MASDA

Enregistrement musical : Studio CARAÏBE

Production : ANTIGONE

Éditions musicales, droits réservés

℗ Antigone, 2005 – © naïve, 2005

Toutes les œuvres d'Éric-Emmanuel Schmitt

sont publiées chez Albin Michel.

Son site officiel : www.eric-emmanuel-schmitt.com

UN LIVRE À ÉCOUTER

ÉRIC-EMMANUEL SCHMITT
MONSIEUR IBRAHIM
ET LES FLEURS DU CORAN

LU ET INTERPRÉTÉ PAR L'AUTEUR

MUSIQUE ÉRIC-EMMANUEL SCHMITT

naïve

Il y a des textes qu'on porte si naturellement en soi qu'on ne se rend même pas compte de leur importance. On les écrit comme on respire. On les expire plus qu'on ne les compose.

Monsieur Ibrahim et les fleurs du Coran fait partie de ceux-là. Écrit en quelques jours sur un coin de table pour faire plaisir à un ami, il s'imposa à moi sans bruit et sans effort. Jamais je n'aurais pu imaginer qu'il connaîtrait tant de succès ni qu'il ferait le tour du monde ; encore moins que, dans beaucoup de pays, je deviendrai désormais « l'auteur de *Monsieur Ibrahim* ». Bruno Abraham-Kremer, ami et comédien, vint passer quelques jours chez moi, dans ma maison irlandaise, après un voyage en Turquie durant lequel il avait marché dans les paysages arides de l'Anatolie, visité des monastères soufistes, tourné avec les derviches pour prier... Il revenait tout imprégné de poèmes mystiques liés à l'islam.

Nous nous sommes mis à parler de Rumi, ce magnifique sage et écrivain, de l'humilité qu'il conseille, de la danse comme une prière. Au fur et à mesure que nous échangions, ma pensée s'élevait sur un tapis volant du côté de l'Orient.

Puisque une vie sage a souvent ses racines dans l'enfance, nous avons évoqué nos grands-pères, nous rendant compte qu'ils nous avaient marqués autant que nous les avions aimés. Sous les figures riantes et apaisées de nos aïeuls, Monsieur Ibrahim montrait déjà son nez. Puis Bruno me raconta son roman familial, j'évoquai le mien...

Lorsque Bruno Abraham-Kremer me quitta, je lui promis que je lui écrirais un jour un texte qui mêlerait notre amour de cet islam et les souvenirs de notre adolescence. En réalité, à peine était-il dans l'avion que je commençai à gribouiller. Momo parlait tout seul. Je n'avais qu'à écouter tout ce qu'il me dictait.

Une semaine plus tard, j'appelai Bruno Abraham-Kremer au téléphone.

« J'ai fait le texte que je t'avais promis.

— Ah, oui... tu as commencé ?

— Non, j'ai fini. Où es-tu ?

— À Paris. Dans la rue.

— J'ai envie de te le lire. Y a-t-il un banc près de toi où tu pourrais t'asseoir ?

— Non. Mais il y a le bord du trottoir. Voilà, j'ai les pieds dans le caniveau : je t'écoute. »

Et je lui lus d'une traite les aventures de Momo et de Monsieur Ibrahim. De temps en temps, pour m'encourager, il riait. Parfois, je ne l'entendais plus.

« Tu es toujours là ? Tu m'entends encore ?

— Je pleure... »

À la fin, je conclus la conversation en lui disant que s'il voulait raconter ce texte sur scène, je le lui offrais.

Immédiatement, je songeai à autre chose et me plongeai dans une nouvelle écriture. Pour moi, l'affaire était close. Texte de cœur écrit par cœur, *Monsieur Ibrahim* demeurait dans une sphère intime, je ne songeais pas vraiment à lui donner, sinon éventuellement au théâtre, une destinée publique.

On ne me laissa pas faire.

Mes proches, mes amis, mon éditeur, tout le monde s'enthousiasma pour ce texte. Loin de me faire plaisir, ça m'agaçait un peu tant les compliments me paraissaient exagérés : pourquoi s'excitent-ils sur ces pages qui ne m'ont rien demandé alors que d'autres m'ont fait transpirer des heures ? Comme tout être humain, j'aime ce qui m'a coûté, ce qui a exigé des efforts, car j'y gagne l'estime de moi-même.

J'avais tort. La sueur n'est pas l'indice du talent. Le naturel vaut souvent mieux que force labeur, l'artiste doit admettre que certaines choses lui sont faciles : voilà ce que m'a appris le destin de *Monsieur Ibrahim*.

Qui sont Momo et Monsieur Ibrahim ?

Deux individus auxquels personne ne prête attention. Momo, enfant unique, n'a plus qu'un père qui mérite à peine ce nom car son état dépressif l'empêche de prendre soin de son fils, de l'éduquer, de l'instruire, de lui transmettre l'envie de vivre et ses principes. Quant à Monsieur Ibrahim, on lui demande juste de rendre la monnaie correctement.

Ces deux solitaires vont modifier leurs vies en se regardant. Cette rencontre va les enrichir comme jamais.

On a beaucoup glosé sur le fait que l'enfant est juif et l'épicier musulman. On a raison. C'est très intentionnel de ma part. Par là, j'ai à la fois voulu témoigner et provoquer.

Témoigner, car dans de nombreux lieux de la terre — des capitales européennes, des ports, des villes américaines, des villages du Maghreb — il y a une cohabitation harmonieuse d'êtres ayant des origines différentes, des religions différentes. À Paris, dans la rue Bleue où se passe cette histoire, une rue que j'ai habitée et qui n'est définitivement pas bleue, résidait une franche majorité de juifs, quelques chrétiens et des musulmans. Ces citadins partageaient non seulement la rue, mais le quotidien, la joie de vivre, les ennuis, la conversation... Des amitiés ou des sympathies se nouaient entre gens qui venaient d'un peu partout, soit géographiquement, soit spirituellement. Au cœur de ce quartier populaire sous Montmartre, j'avais le sentiment de vivre dans un lieu riche et foisonnant, où les cultures se rencontraient, s'intéressaient les unes aux autres, plaisantaient de leurs différences, comme par exemple le vieux médecin juif expliquant à l'épicier musulman qu'il ne fêterait le ramadan que s'il vivait en Suède, là où il fait nuit dès trois heures de l'après-midi.

Or l'actualité journalistique ne se fait l'écho que de ce qui ne va pas, jamais de ce qui fonctionne bien. Ainsi réduit-elle de façon pernicieuse le rapport juif-arabe au conflit israélo-palestinien, négligeant les plages d'entente et de cohabitation pacifique, accréditant l'idée d'une opposition irrémédiable. Sans nier le tragique du conflit, il ne faut cependant pas confondre le véritable bruit du monde avec une partie du monde, ni avec le fracas journalistique et politique. Il me semblait important de raconter une histoire heureuse de fraternité. Une de mes plus grandes fiertés fut de découvrir que, par exemple, en Israël, les partisans de la paix, arabes, chrétiens et juifs, se servent de *Monsieur Ibrahim et les fleurs du Coran* pour tenter de propager leur espoir, le faisant jouer dans le même théâtre en alternance, un soir dans sa version arabe, un soir dans sa version hébraïque...

Ma provocation fut de donner une image positive de l'islam au moment où les terroristes défiguraient cette foi en se livrant à des actes immondes. Si actuellement l'islamisme insulte l'islam, si l'islamisme infeste la planète, il nous faut d'urgence distinguer l'islam et l'islamisme, arracher de nos cœurs cette peur irrationnelle de l'islam et empêcher que l'on confonde une religion dont la sagesse millénaire guide des millions d'hommes avec la grimace excessive et mortifère de certains agitateurs.

Les histoires ont leur rôle à jouer dans notre vie intellectuelle, même les petites histoires qui présentent de petits personnages. L'amour qui unit Monsieur Ibrahim et Moïse, parce qu'il advient simplement dans des êtres de chair et de sang dont les sentiments nous sont proches, abolit notre peur de l'autre, cette peur de ce qui ne nous ressemble pas.

Monsieur Ibrahim apprend des choses essentielles à Momo : sourire, converser, ne pas trop bouger, regarder les femmes avec les yeux du cœur, pas ceux de la concupiscence. Il l'emmène dans un univers plus contemplatif et lui fait même accepter l'idée de la mort. Tout cela, Monsieur Ibrahim l'a appris de son Coran. Il aurait pu l'apprendre ailleurs, mais lui l'a appris de son Coran. « Je sais ce qu'il y a dans mon Coran », dit-il sans cesse.

Lorsqu'il récupérera son vieil exemplaire, Momo découvrira ce qu'il y avait dans le Coran de Monsieur Ibrahim : des fleurs séchées. Son Coran, c'est autant le texte que ce que Monsieur

Ibrahim y a lui-même déposé, sa vie, sa façon de lire, son interprétation. La spiritualité ne consiste pas à répéter mécaniquement les phrases à la lettre, mais à en saisir le sens, à en comprendre l'esprit, les nuances, la portée... La spiritualité vraie ne vaut que par un mélange d'obéissance et de liberté. Voilà donc enfin l'explication que l'on me demande toujours, l'explication de ce mystérieux titre, *Monsieur Ibrahim et les fleurs du Coran.*

ÉRIC-EMMANUEL SCHMITT

Bruxelles, 16 novembre 2004

LA MUSIQUE

Sachant qu'Éric-Emmanuel aime passionnément la musique, je lui ai demandé d'écrire celle qui accompagne ce disque.

Au début, je reçus un refus outragé :

« J'ai renoncé à écrire de la musique parce que j'aime plus la musique qu'elle ne m'aime !

– Ce qui veut dire ?

– Lorsque j'ai compris que je ne serais pas le compositeur que je souhaitais être, vers mes vingt ans, j'ai rangé ce rêve dans ma poche et je me suis consacré à la philosophie et à la littérature. »

Cependant, dans les jours qui suivirent, je l'entendis improviser plus souvent que d'ordinaire au piano. En entendant un thème un peu orientalisant, je me permis de l'interrompre pour lui demander :

« Qu'est-ce que c'est ?

— Je m'amuse... je cherche... Est-ce que cela n'irait pas pour *Monsieur Ibrahim* ? »

Une semaine plus tard, sans presque lui demander son avis, sans même lui laisser exercer un jugement critique, je l'emmenai dans un studio et je le fis improviser devant les micros.

Ce disque mettra l'auditeur dans une vraie intimité avec cet auteur qui se protège tellement des regards extérieurs. D'une façon totalement inédite, vous allez entrer dans son monde : son texte, sa voix et sa musique...

BRUNO METZGER